신중년을 위한
세상에서 가장 쉬운

AI
가이드

작가 소개

강옥자
글, 그림 작가, 디지털튜터 1급 강사

 강옥자 작가는 글을 쓰는 작가이자 AI로 그림을 그리는 작가입니다. MKYU디지털튜터로 홈플러스문화센터에서 강의하는 무궁화스마트폰교실 대표 튜터입니다. 아티스트의 꿈을 이루기 위해 한국AI작가협회 이사로 활동 중입니다.

금희라
작가, 실버스마트복지사

 금희라 작가는 실버를 골드로, 실버세대를 골드세대로라는 슬로건을 가지고 실버스마트복지사로 활동하고 있습니다. 사회복지사 석사 졸업 후 노인통합교육지도사, 웰다잉지도사, 디지털튜터, AI강사, 인스타그램강사 및 그림 작가로 활동하고 있습니다.

문오영

글, 그림, AI동화 작가

문오영 작가는 한국 AI 작가협회에서 AI 작가로 활동하고 있으며, 팸텀크립터월드(PhantomsCryptoWorld) 회원입니다. UCL 사계절 컬렉션에 작품을 출품하여 엔에프티(NFT)를 발행했습니다. 앞으로 시니어를 대상으로 디지털 튜터로서 강의할 계획입니다.

박종식

글, 그림 작가, 예술강사

박종식 작가는 글을 쓰는 작가이자 컴퓨터 마우스 드로잉으로 그림을 그리는 특징을 가지고 있는 그림 작가이기도 합니다. 예술과 관련한 다양한 장르에 관심과 애정이 있기에 평소 꿈으로만 간직해온 멀티 아티스트의 꿈을 이루기 위해 열심히 활동 중입니다.

지승주

글, 그림 작가

지승주 작가는 글을 쓰는 작가이자, 인공지능(AI)를 활용하여 그림을 그리는 작가이기도 합니다. 현재는 두 분야의 작가로 활동 중이지만, 앞으로는 영역을 확장하여 영상 분야에도 도전하고 싶은 꿈 많은 60대 중반의 작가입니다.

들어가는 말

신중년을 위한 세상에서 가장 쉬운 AI 가이드는 한국 AI 작가협회 소속 이사이자 작가 5명이 글쓰기 출판 교육과정에서 얻은 배움을 바탕으로 각자 맡은 부분을 집필하여 탄생된 공저책입니다.

본 책은 제목 그대로의 특성을 살리기 위해, 주 독자층의 연령대를 고려하여 평균적인 책들과 달리 글자와 이미지의 크기를 키우는 것으로 가독성을 돕고자 하였습니다. 무엇보다 본문의 내용도 마찬가지로 제목의 특성을 그대로 살려내기 위하여 최대한 쉽게 접근하고 활용할 수 있도록 녹여내는 것에 최선을 다하였습니다.

핵심적인 가치는 다음과 같습니다. 첫 번째로는 정말 쉬운 내용이므로, 쉽게 따라 하고 실천할 수 있을 것. 두 번째로는 따라 하고 실천함으로써, AI 활용에 대한 두려움과 어려움을 감소시킬 것. 세 번째로는 변화가 더욱 빨라질 앞으로의 근미래에 보다 변화에 대한 빠른 적응과 수용을 할 수 있게 될 것. 마지막으로 결과적으로는 뒤처지지 않고 한 걸음 나아가는 존재가 될 수 있을 것. 이 같은 네 가지의 핵심적인 가치를 담고 있습니다.

 코로나 팬데믹과 함께 인류의 삶은 크게 변화하였고, 변화하고 있습니다. 코로나 팬데믹이 시작되어 한창 절정이 치닫고 있었던 2020년에는 비대면이 일상화되면서 메타버스 산업이 크게 돌풍을 일으켰으며, 이어서 불과 1년 뒤인 2021년에는 가상자산을 바탕으로 한 블록체인 기술이 돌풍을 일으키며 NFT 관련 분야에 대한 관심이 뜨거웠습니다. 이어서 또 역시나 1년 뒤인 2022년에는 생성형 AI, Chat GPT의 등장으로 AI에 대한 관심이 뜨거워졌고 현재에 이르게 되었습니다.

이 모든 것이 고작 3년여 만에 일어난 일이라는 사실에 문득 놀라움을 금치 못할 정도입니다. 앞으로 1년, 5년, 10년 뒤에는 또 어떤 기술들로 인하여 세상이 변화한 상태일지 두렵기도 하고 궁금하기도 합니다.

결론적으로 다시 강조하자면, 우리는 앞으로 빠르게 변화할 세상 속에서 길을 잃지 않으려면 적어도 뒤처지지 않기 위해 빠른 적응과 수용, 배움이 필요할 것입니다. 우리 모두는 변화 속에서 살아왔습니다. 그렇기에 앞으로도 잘 해낼 수 있습니다.

현재와 미래는 결코 기다려주지 않습니다. 그러므로, 피할 수 없음에 즐겨보면 어떨까요?

2023. 11. 22
저자 일동

목 차

3. AI 활용 그림 그리기

4. AI 활용 글쓰기

5. AI 활용 콘텐츠 만들기

신중년을 위한
세상에서 가장 쉬운

AI
가이드

1장

AI 시대

3년 동안 코로나 전염병으로 인하여, 전 세계의 사람들이 대면 접촉을 꺼리고 마스크가 없으면 아무것도 못하는 세상 속에서 삶의 패턴이 완전히 바뀌었습니다. 시간이 지나면서 백신 등의 개발로 잠잠해졌으나, 이제는 생성형 AI의 등장으로 세상이 또 한 번 들썩이고 있습니다.

  구글 애플 마이크로소프트 등 전 세계의 기업들이 앞다투어 기술 개발에 뛰어들고 있으며, 네이버 카카오 등 국내 대기업들도 이에 뒤처지지 않기 위해 기술 개발에 박차를 가하고 있습니다.

  이처럼 급변하는 세상 속에서 우리의 일상도 다양하게 변화되어가고 있습니다. 가장 큰 변화는 일반인들이 생성형 AI를 활용하여 예술을 쉽게 행할 수 있게

되었다는 것이며, AI를 활용하여 회사의 업무를 일부 처리할 수 있게 변화가 생기기도 하였습니다. 또한, 학생들은 공부와 과제를 하는 것에 있어서 AI를 활용하기도 합니다.

특히 TV 등에서는 AI로 만든 가상의 사람이 광고의 모델로 등장하는 변화도 생겨난 세상이 되었습니다. AI의 활용도는 스마트폰 못지않게 엄청난 위력을 가지고 있으며, 앞으로 그 영역은 더욱더 크게 확장되고 커지면서 예측 범위를 벗어난 매우 큰 위력을 가지게 될 것이 분명합니다.

며칠 전 SK TECH SUMMIT 2023에서 유영상 ICT 위원장은 "생성 AI가 촉발하고 있는 변화는 우리 모두에게 위기보다는 기회가 될 것이다. 이번 행사를 통해 SK가 AI를 통해 만들어가는 현재와 미래의 모습을 확인하실 수 있을 것"이라고 밝혔습니다.

1. AI의 개념과 역사

요즘 AI 관련한 이야기는 어디서든 흔하게 들을 수 있게 되었습니다. 그렇다면, AI는 무엇일까요? AI(Artificial Intelligence)는 컴퓨터가 인간과 같은 사고와 행동을 할 수 있도록 하는 기술입니다. 개념적 정의로 살펴보자면, AI는 매우 광범위하지만, 크게 두 가지 관점에서 이해할 수 있습니다.

첫 번째 관점은 AI를 인간의 지능을 모방한 기술로 보는 것입니다. 이 관점에서 AI는 인간의 사고와 행동을 이해하고, 이를 컴퓨터로 구현하는 기술을 의미합니다.

두 번째 관점은 AI를 지능을 가진 시스템으로 보는 것입니다. 이 관점에서 AI는 인간의 지능과 유사한 지능의 수준을 가진 시스템을 의미하고 있습니다.

이러한 개념적 정의를 가지고 있는 AI의 역사는

크게 세 가지로 나눌 수 있습니다. 첫 번째 시기인 1950년대부터 1960년대까지는 AI의 가능성을 탐구하는 시기였습니다. 이 시기에는 AI가 인간의 지능을 뛰어넘을 수 있다는 낙관적인 전망이 주를 이루었습니다.

두 번째 시기인 1970년대부터 1980년대까지는 AI의 한계가 드러나는 시기였습니다. 이 시기에는 AI의 실용적인 구현에 어려움이 많았고, AI에 대한 회의적인 시각이 증가했습니다. 세 번째 시기인 1990년대부터 현재까지는 AI의 실용적인 구현이 이루어지는 시기입니다. 이 시기에는 AI 기술이 발전하면서 다양한 분야에서 실용적으로 활용되기 시작했습니다.

2. AI의 종류

AI의 종류도 크게 세 가지로 나눌 수 있습니다. 첫 번째 종류는 일반적으로 많이 쓰는 AI(General AI) 입니다. 일반 AI는 인간의 지능과 유사하게 다양한 업무에 걸쳐 지식을 이해하고, 학습하고, 적용할 수 있는 시스템을 말합니다. 일반 AI는 다양한 시나리오를 처리할 수 있는 광범위한 인지 능력과 적응성을 보유합니다. 아직은 실현되지 않았지만, AI 연구의 최종 목표로 여겨지고 있습니다. 진정한 일반 AI를 달성하는 것은 여전히 중요한 과제이자 활발한 연구 분야입니다.

두 번째 종류는 특정 분야에 특화된 AI(Narrow AI)입니다. 특정 작업을 위해 설계되고 훈련됩니다. 특정 작업을 수행하는 데 탁월하고 인간의 지능을 뛰어넘는 성능을 발휘할 수 있지만, 그 능력은 미리

정의된 범위로 제한됩니다. 특정 분야에 특화된 AI는 이미 다양한 분야에서 실용적으로 활용되고 있습니다. 예로는 가상 개인 비서, 이미지 인식 소프트웨어, 음성 인식 시스템 등이 있습니다.

세 번째 종류는 초지능 AI(Super intelligent AI) 입니다. 초지능 AI는 인간 지능을 뛰어넘어 모든 측면에서 가장 뛰어난 인간 정신의 인지 능력을 능가할 잠재력을 가지고 있습니다. 종종 공상 과학 소설과 연관되는 이러한 수준의 AI는 사회와 인류에 미치는 영향에 대한 윤리적, 실존적 질문을 제기합니다.

3. AI의 역할

AI의 역할은 세부적으로 살펴보면 정말 많습니다. 그렇지만 크게 나누어 본다면, AI의 종류와 마찬가지로 크게 세 가지로 나눌 수 있습니다.

먼저 자동화가 있습니다. AI는 반복적이고 단순한 작업을 자동화하여 인간의 노동력을 절약하고 생산성을 높일 수 있습니다. 그 다음으로는 혁신이 있습니다. AI는 새로운 제품과 서비스의 개발을 가능하게 하여 사회와 경제에 혁신을 가져올 수 있습니다. 예를 들어, AI를 활용한 맞춤형 교육은 학생의 학습 수준과 성향에 맞는 교육을 제공하여 학습 효율성을 높일 수 있습니다.

마지막 세 번째로는 문제 해결이 있습니다. AI는 복잡한 문제를 해결하기 위한 새로운 방법을 제시할 수 있습니다. 예를 들어, AI를 활용한 질병 진단은 의료 이미지를 분석하는 것으로써, 질병을 더욱 정확하면서도 빠르게 진단할 수 있습니다.

4. AI의 중요성

AI는 우리 삶을 더욱 편리하고 안전하게 만들어 줄 수 있습니다. 예를 들어, AI를 활용한 자율주행 자동차는 교통사고를 줄이고, 운전의 번거로움을 줄일 수 있습니다. 그리고 AI는 사회와 경제에 혁신을 가져와 새로운 기회를 창출할 수 있습니다. 예를 들어, AI를 활용한 맞춤형 교육은 교육의 질을 높이고, AI를 활용한 창의적인 제품과 서비스는 새로운 산업을 발전시킬 수 있습니다.

또한, AI는 기후 변화와 같은 환경 문제 해결에 기여할 수 있습니다. 예를 들어, AI를 활용한 에너지 효율화는 에너지 소비를 줄이고, AI를 활용한 환경 감시 시스템은 환경 오염을 감시하고 예방할 수 있습니다.

5. AI가 가져올 가까운 미래

AI(인공 지능)는 다양한 것을 배우고 도와줄 수 있는 똑똑한 친구입니다. 스마트폰을 사용할 때 도움을 주는 AI는 케이티(KT)의 지니, 아이폰의 시리(Siri)와 같이 기계와 대화하는 데 도움이 됩니다. 즉, 스마트 어시스턴트의 역할을 수행할 수 있습니다. 그리고 우리는 질문을 하고, 음악을 틀고, 심지어 전등을 끄라고 말할 수도 있습니다. 이로써, 우리의 일상에 도움이 되는 친구를 갖는 것과 같습니다.

가까운 미래에는 자율주행 자동차가 상용화 될 것입니다. 자율주행 자동차는 센서와 카메라를 통해 주변 환경을 인식하고, 스스로 주행할 수 있는 자동차입니다. 아직은 실험 단계이지만, 앞으로는 우리의 일상생활에서 흔히 볼 수 있는 교통수단이 될 것으로 기대됩니다.

(미드저니를 활용하여 생성한 자율주행 자동차)

더 나아가서는 AI를 활용하여 교통 체증 최소화 시스템을 구축할 수 있게 될 것입니다. AI를 활용한 교통 체증 최소화 시스템은 교통 정보를 분석하여 최적의 경로를 안내하거나, 차량 흐름을 조절하여 교통 체증을 줄이는 데 도움이 됩니다. 그리고 여기서 끝나지 않고, 도로 상태 감지 시스템도 등장할 것입니다. 도로 상태 감지 시스템이란, AI를 활용하여 도로의 상태를 감지하는 시스템을 말합니다. 도로의 상태를 실시간으로 감지하여, 도로의 안전성을 확보하고, 도로 보수 작업의 효율성을 높이는 데 도움이 됩니다.

무엇보다 많은 사람들이 기대하고 있는 분야 중 하나는 바로, 의료입니다. AI를 활용하여 질병 진단이 보다 수월해질 것으로 예상되고 있습니다. AI를 활용한 질병 진단은 의료 이미지를 분석하여 질병을 진단하는 데 도움이 됩니다. 예를 들어, 암 진단, 뇌졸중 진단, 심장 질환 진단 등에 AI가 활용될 수 있습니다. 이렇게 진단된 정보를 바탕으로 환자의 상태를 모니터링하고, 치료 계획을 수립하는 데 도움이 될 것입니다. 예를 들어서 로봇 수술, 약물 치료, 재활 치료 등에 AI가 활용될 수 있게되는 것입니다.

궁극적으로는 질병을 예방하는 것에도 도움이 될 것으로 보여집니다. AI를 활용하여 무수히 많은 질병에 대한 위험 요소들을 평가하고 건강 계획을 수립하는 등과 같은 기능적인 역할을 수행하게 될 것입니다.

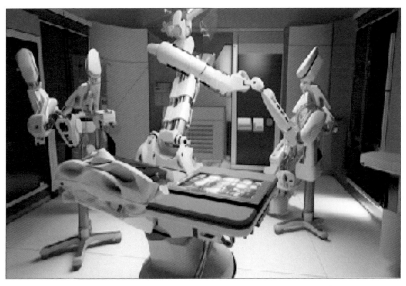

(미드저니를 활용하여 생성한 로봇 수술)

뿐만아니라, 교육과 관련하여서는 매우 큰 영향을 미칠 것으로 보여집니다. AI는 사용자의 활동 방식에 적응할 수 있는 교육용 앱에 사용될 것입니다. 이는 AI가 학습과 멘토 등의 역할을 수행하는 것으로써, 개인이 가상의 교사를 두는 효과를 얻게되는 것을 의미합니다.

무엇보다 가장 중요한 포인트적인 요소는 바로, 학습 데이터를 수집하고 분석하여 맞춤형 교육을 제공하고 학습 관리 시스템으로써의 역할도 수행하게 될 것이라는 부분입니다. 그 결과로 개인의 학습 효과를 효율적으로 증진시키고, 교육비 절감 등의 기능적인 역할을 수행할 수 있으리라 기대를 해볼 수 있습니다.

또한, AI는 언어 번역에 관련하여서 큰 역할을 수행할 수 있을 것으로 보여집니다. 현대 사회는 글로벌 사회입니다. 이러한 글로벌 사회에서 언어적인 부분은 상당히 중요한 요소로 작용하게 됩니다. 이러한 상황속에서 빠르고 정확한 번역 능력을 제공하는 AI를 활용한다면, 언어의 장벽을 크게 허물고 세계인은 더욱 글로벌한 생활을 할 수 있게될 것입니다.

여기에서 끝이 아닙니다. 고객의 관심사와 구매

이력을 분석하여, 고객에게 맞는 상품을 추천하는데 도움을 줄 수 있는 개인화 추천 시스템이 활용될 것입니다. 유튜브(YouTube)나 넷플릭스(Netflix)에서 좋아할 만한 동영상이나 프로그램을 추천 받아 보신 기억이 있으실 것입니다. 이것이 바로 시청 데이터를 분석하여 좋아할 만한 콘텐츠를 찾는 것에 도움을 추천 AI 추천 시스템입니다. 흔히 알고리즘이라 부르고 있는 그것이 맞습니다.

AI는 또한, 고객의 질문과 요청을 처리하는 데에 도움이 될 수 있을 것입니다. 이는 고객 서비스에 대한 자동화 시스템을 의미합니다. 아직 끝나지 않았습니다. AI는 금융, 게임과 같은 분야에서는 상당한 역할을 수행하게 될 것으로 보여집니다.

마지막으로는 로봇산업과 관련하여서도 크게 활용 되어질 것으로 예측되고 있습니다. 현재에는 물건을 만들거나 옮기는 정도의 로봇이나 청소하는 청소로

봇 정도가 대부분입니다. 하지만, 앞으로는 AI가 로봇에 접목되면서 보다 복잡하고 다양한 업무를 수행하게 될 것입니다. 즉, 일상생활 곳곳에서 다양하게 활용되면서 도우미의 역할을 수행하게 되는 것을 의미합니다.

이렇듯, AI의 발전과 함께, AI의 역할과 중요성은 더욱 커질 것으로 예상됩니다. AI가 우리 사회와 경제에 미치는 영향을 이해하고, AI의 윤리적 사용에 대한 논의를 이어 나가는 것이 중요합니다.

신중년을 위한
세상에서 가장 쉬운

AI
가이드

2장

일상생활 속

AI 활용

하루가 다르게 생겨나는 다양한 종류의 AI 플랫폼들 덕분에 우리의 일상생활은 빠르게 변화하고 있습니다.

 그렇기에 모두 접해보고, 공부하며 배우기에는 사실상 불가능에 가깝다고 생각합니다. 따라서 가장 강력하면서 효율적이고 효과가 큰 플랫폼 세 가지만을 소개 드리는 것으로써, 실질적으로 알아보고 사용하실 수 있도록 도움을 드리고자 합니다.

세 가지 가장 강력하고 효율적이면서 효과적인 AI 플랫폼 세 가지는 네이버 큐, 아숙업, GPT입니다.

먼저 네이버 큐는 명실상부 대한민국 제1의 검색 포털 사이트에 탑재된 AI로써, 사용의 편의성 및 활용도가 매우 높은 수준이라고 생각합니다. 다음으로 아숙업은 역시나 대한민국 제1의 메신저인 카카오톡에서 사용할 수 있는 AI로써, 마찬가지로 편의성과 활용도가 매우 높다고 생각되었습니다. 마지막으로 GPT는 별도의 설명이 필요 없을 정도로 가장 강력하고 편의성과 활용도가 무궁무진한 제1의 AI 플랫폼입니다.

1. 네이버 큐

네이버 큐는 검색 사이트를 운영하며 쌓아온 방대하고 풍부한 데이터와 고도화된 AI 기술이 만나,

나에게 꼭 필요한 정보를 대화로 찾아 나갈 수 있는 AI 검색에 최적화되어있는 형태입니다. 가장 큰 장점으로는 아무래도 익숙한 검색 사이트인 네이버에서 바로 사용할 수 있는 점과 답변으로 출력된 정보에 대한 출처를 파악할 수 있다는 부분입니다. 이는 마이크로소프트에서 서비스하고 있는 검색 AI 빙과 동일한 형태라고 보시면 됩니다.

1) 네이버 메인화면 우측 상단에 위치하고 있는 AI 검색 큐 : 사전 등록 버튼을 눌러주세요. 또는 검색 결과창 화면에서 만나보실 수 있습니다.

2) 대화하기 버튼을 눌러주세요. 대기 명단 등록 버튼이 있을 경우에는 눌러서 대기 신청을 해주세요. 상당히 빠른 시간 안에 사용이 가능합니다.

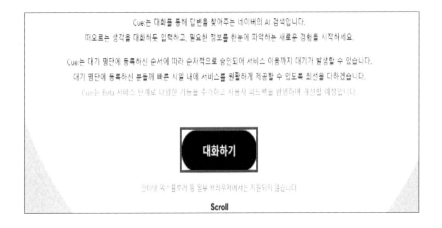

3) ① 큐를 활용하여 할 수 있는 것에 대한 정보나 안내되어 있습니다.

② 질문 입력창입니다. "대화하듯 검색하세요." 라고 되어 있습니다.

③ 이전에 했던 질문들의 목록창입니다.

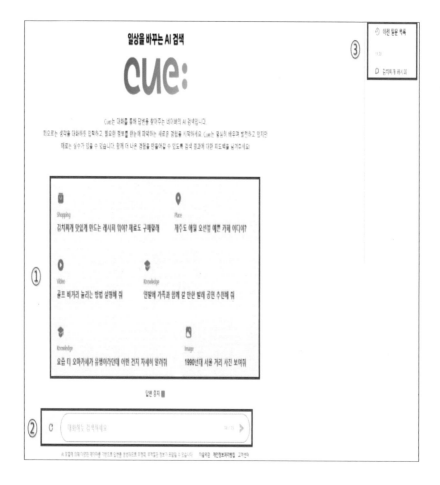

4) ① 레시피 검색도 가능하며, 필요한 재료에 대한

　　수량과 주문 연결도 가능합니다.

　② 레시피 정보에 대한 출처를 알려줍니다.

　③ 추가적인 질문을 추천합니다.

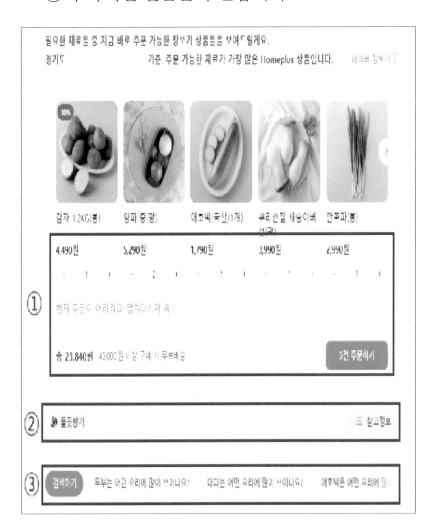

5) 이미지 생성 기능은 제공하지 않습니다.

귀여운 하얀털을 가진 강아지가 해변가에서 뛰놀고 있는 그림을 생성해줘

cue:

죄송합니다. 저는 이미지나 동영상을 직접 생성할 수 없습니다.

대신 인터넷에서 다양한 강아지 그림을 찾아보실 수 있으며, 다음과 같은 방법으로 원하는 그림을 찾을 수도 있습니다.

1. 구글 이미지 검색 : "하얀 털을 가진 강아지가 해변에서 뛰는 그림"
2. 인스타그램 검색 : #강아지그림 #해변 #하얀털
3. 픽사베이(https://pixabay.com/)
4. 프리픽(https://www.freepik.com/)

위 사이트에서는 무료로 사용할 수 있는 다양한 이미지를 제공하고 있으니 참고하시기 바랍니다. 감사합니다.

통합검색　　　　　　　　　　　　　　　　　참고정보

6) 이미지 생성 기능은 제공하지 않습니다.

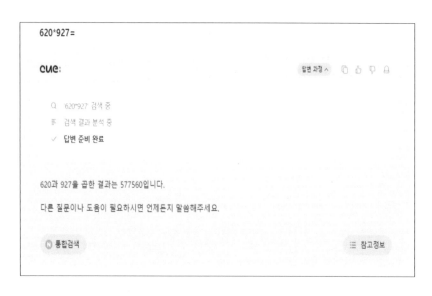

620*927 =

cue:　　　　　　　　　　　　　　답변 과정 ∧

Q　620*927 검색 중

☰　검색 결과 분석 중

✓　답변 준비 완료

620과 927을 곱한 결과는 577560입니다.

다른 질문이나 도움이 필요하시면 언제든지 말씀해주세요.

통합검색　　　　　　　　　　　　　　　　　참고정보

7) 제목 추천, 글쓰기 등에 도움이 될 수 있습니다.

귀여운 하얀털을 가진 강아지가 해변가에서 뛰놀고 있는 그림을 생성해줘

cue:

죄송합니다. 저는 이미지나 동영상을 직접 생성할 수 없습니다.

대신 인터넷에서 다양한 강아지 그림을 찾아보실 수 있으며, 다음과 같은 방법으로 원하는 그림을 찾을 수도 있습니다.

1. 구글 이미지 검색 : "하얀 털을 가진 강아지가 해변에서 뛰는 그림"
2. 인스타그램 검색 : #강아지그림 #해변 #하얀털
3. 픽사베이(https://pixabay.com/)
4. 프리픽(https://www.freepik.com/)

위 사이트에서는 무료로 사용할 수 있는 다양한 이미지를 제공하고 있으니 참고하시기 바랍니다. 감사합니다.

Ⓝ 통합검색　　　　　　　　　　　　　　　　　　≣ 참고정보

8) 존재하지 않는 정보에 대해서는 찾지 못했다고 나옵니다.(거짓 정보를 제공할 확률 존재)

620*927=

cue:　　　　　　　　　　　　　　　　　답변 과정 ∧

Q　620*927 검색 중
≣　검색 결과 분석 중
✓　답변 준비 완료

620과 927을 곱한 결과는 577560입니다.

다른 질문이나 도움이 필요하시면 언제든지 말씀해주세요.

Ⓝ 통합검색　　　　　　　　　　　　　　　　　　≣ 참고정보

2. 아숙업

아숙업은 Chat GPT 탑재하고 있으며, 국민 메신저인 카카오톡에서 바로 사용할 수 있다는 아주 큰 장점이 있습니다. 가장 기본적으로 궁금한 것에 대한 질문과 답변을 받을 수 있고, 이미지의 글씨를 이해, 글쓰기, 시, 번역 등 다양하게 활용할 수 있습니다.

1) 카카오톡 메인 화면 상단에 위치하고 있는 돋보
기를 눌러주세요. 다음으로 검색창에 아숙업을
입력해 주세요. 유사한 이름의 채널들이 있습니다.
정품 아숙업은 귀여운 프로필과 인증 마크, 로봇
아이콘이 있습니다.

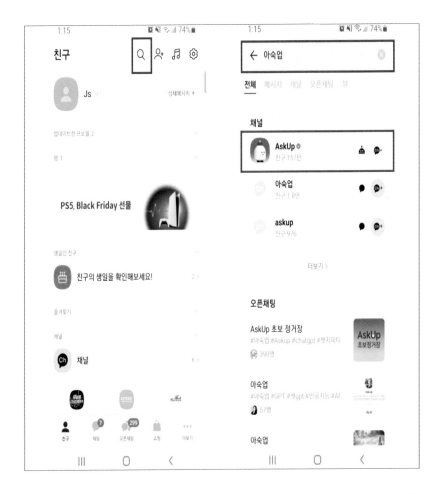

2) 아숙업의 프로필을 클릭하시면, 왼쪽의 이미지
처럼 관련 정보를 보실 수 있습니다. 오른쪽 이미
지는 아숙업과 대화를 시작한 후에 채팅 목록에
등장한 모습입니다.

3) 아래 이미지들은 아숙업과의 대화방입니다.

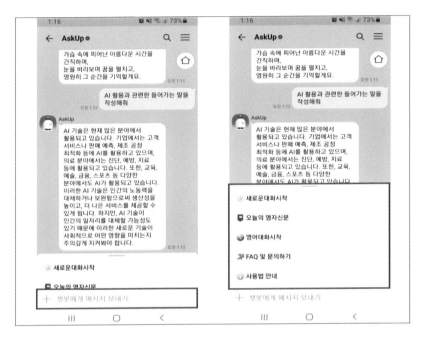

  왼쪽 이미지 아래에 보이는 빨간색 박스는 아숙업에게 메시지를 보내는 입력창입니다. 오른쪽 이미지는 아숙업 사용법 안내 등을 살펴볼 수 있는 정보창입니다. 대화방 아래에 위치하고 있으며, 메시지 입력창보다는 조금 위에 위치하고 있습니다. 가로선으로 되어있는 작은 바를 부드럽게 눌러서 위로 미끄러지듯 올리시면 보실 수 있습니다.

3. Chat GPT

Chat GPT는 자연어 처리와 생성에 특화되어 있으며, OpenAI에서 개발된 최고의 성능을 자랑하는 인공지능 대화 모델입니다. 2018년 GPT-1을 시작으로 GPT-2와 GPT-3가 각각 2019년과 2020년에 발표되었으며, 2023년에 GPT-4 모델이 발표되었습니다.

지속적인 성능 업그레이드와 기능 업데이트를 통해서 활용도가 폭발적으로 증가하고 있습니다. 다만, AI의 특성상 존재하지 않는 정보를 사실처럼 안내하는 '할루시네이션'의 특징이 존재합니다. 그러므로, 최소 2~3개의 다른 대화형 모델을 활용하는 것으로 교차검증할 필요가 있습니다. 선택 사항이지만, 적극 권장합니다. 본 책에서 GPT에 관한 내용은 책의 대상자층을 고려하고, 입문자라는 가정하에 최대한 간단한 내용을 다루는 것으로써, 실질적으로 활용할 수 있을 정도의 쉬운 내용을 다루고자 합니다. Chat GPT는 PC, 스마트폰 모두 사용이 가능하며, 본 책에서는 PC 버전에 관련하여서만 내용을 다루고 있습니다.

1) 네이버 검색창에 Chat GPT 또는 챗 지피티를 입력해 주세요. 사이트명을 확인 후에 접속해 주세요.

2) 우측 상단에 위치하고 있는 로그인 버튼을 클릭해 주세요. Chat GPT 사이트는 기본적으로 영문 사이트입니다. 영문에 익숙하지 않으신 분들께서는 네이버 웨일, 구글 크롬에서 자체적으로 제공하고 있는 사이트 번역 기능을 사용하시면 큰 도움이 되실 것입니다. 번역 기능은 인터넷 창 우측 상단에 국기 모양으로 위치하고 있습니다.

3) 로그인은 평소에 사용하고 계시는 구글 계정을
   사용하시면 바로 Chat GPT를 사용하실 수 있습
   니다. 이외에 마이크로소프트 계정과 애플 계정도
   사용 가능합니다.

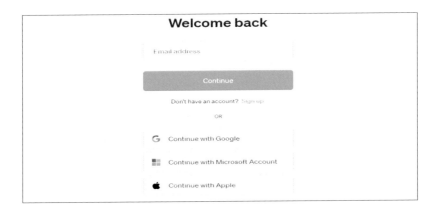

4) 두 가지 경로 중, Chat GPT를 선택해 주세요.

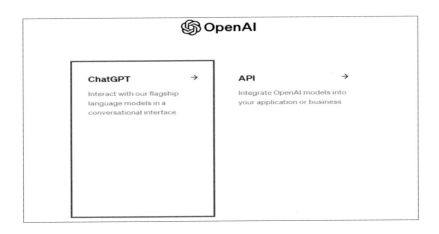

5) 처음 시작하시면, 아래의 이미지와 같이 Chat
   GPT 시작을 위한 팁을 알려줍니다. 읽어보신 후에
   우측 하단에 위치하고 있는 버튼을 눌러주세요.

6) ① Chat GPT와 주고받은 채팅의 기록을 확인하고
   다시 사용할 수 있는 채팅 목록창입니다. 하나의
   대화방이라고 볼 수 있습니다.

② 기본적으로는 GPT 3.5로 시작이 됩니다.

다만, 업그레이드를 하시면, 더욱 향상된 버전인

GPT4를 사용하실 수 있습니다.

③ 무엇을 물어보고 도움을 받을 수 있는지 간단

하게 안내되어 있습니다.

④ 대화 입력창입니다.

⑤ 도움말과 FAQ, 약관 및 정책 등을 확인하실 수

있습니다.

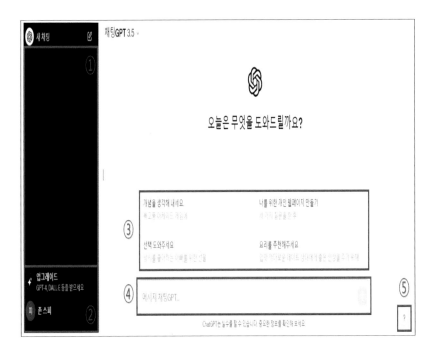

7) 기본 버전인 Chat GPT 3.5는 말 그대로 기본 버전 이므로 질문에 대한 답변 위주로 활용하실 수 있 습니다. 대략적으로 정보 제공 및 질문 답변, 언어 번역, 수학 문제 해결, 코딩 도움, 문서 작성 및 편집, 창작 지원(글, 시, 콘텐츠 제작), 학습 및 교육 자료 제공, 건강 및 운동 조언, 레시피 제공, 여행 및 관광 정보 제공 및 추천 등의 도움을 받을 수 있습니다. 필요한 플러그인을 설치하여 사용하시면 더욱 강력 하면서도 효율적인 활용이 가능합니다.

8) GPT4로 업그레이드 후 사용하시면, 강력한 이미지 생성 AI인 DAll-E 3를 한글 대화형식으로 사용하실 수 있습니다. 이외에 PDF 파일 업로드 후 분석, 특정 용도에 맞게 나만의 사용자 지정 맞춤형 GPT 만들기도 가능합니다. 앞으로 유료 버전은 더욱 많은 기능을 제공하게 될 것으로 보입니다.

9) Chat GPT4로 업그레이드해서 사용을 원하실 경우, 비용은 월 20달러입니다. 한화로는 약 2만 5천원 정도로 보면 되시며, 환율의 특성상 환화 가격은 매번 달라집니다.

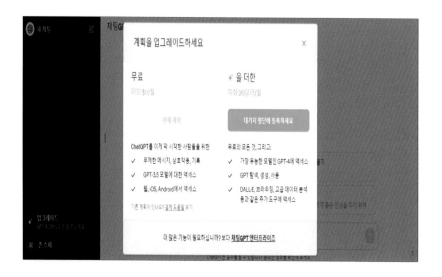

이것으로 활용도가 가장 높은 세 가지의 AI 대화형 플랫폼의 소개가 완료되었습니다. 이외에 한국어 특화 플랫폼인 국내 스타트업에서 서비스중인 뤼튼이 있습니다. 교차검증 시, 활용하시면 매우 좋습니다.

앞으로 AI 분야의 성장과 변화가 얼마나 어떻게 어떤 형식으로 이루어질지는 예측하기 어렵지만, 한 가지

확실한 것은 이제 시작이라는 것입니다. 빠른 변화에 대한 적응과 배움에 익숙해질 필요가 생겼습니다.

 피할 수 없음에 함께 즐겨보시면 어떨까요? 즐기시며 배움과 경험을 쌓으신다면, 다가올 미래에 다른 사람들보다 앞서가는 존재가 되실 수 있으실 것이라 확신합니다. AI를 두려워하고 거부하며 멀리하는 사람들은 뒤처질 것이며, 가까이하며 즐기는 사람들은 앞서가며 변화된 세상 속에서 변화된 삶을 누리실 수 있게 될 것입니다.

신중년을 위한
세상에서 가장 쉬운

AI
가이드

3장

AI 활용
그림 그리기

스마트폰을 중점으로 캔바 앱과 플레이그라운드 사이트를 활용한 AI 그림 그리기와 요즘 핫한 AI 챗 GPT를 활용한 그림 그리기로 시대 변화의 선두주자가 되어보세요.

나무위키에는 캔바(Canva)에 대하여 다음과 같이 "호주의 그래픽 디자인 플랫폼으로 여러 종류의 동영상 문서, 사진, 웹사이트, 홍보물 등을 간단하게 만들 수 있어 소셜 미디어나 프레젠테이션 용도로 자주 쓰입니다." 소개되어 있습니다. 즉, 캔바는 AI 그림 그리기, AI를 활용하여 이미지를 넣은 QR 코드 만들기, 홍보물 제작 등을 할 수 있는 좋은 앱입니다.

플레이그라운드(Playground)는 무료 사이트로써, 별도의 앱 설치 없이 하루에 500개(23.11월 기준)의 이미지를 생성할 수 있고, 이미지 퀄리티도 좋아서 많은 사람들이 사용하고 있는 사이트입니다. 프롬프트가 100% 공개된다는 점은 단점이자 장점이라고 할 수 있겠습니다. 캔바(Canva) 앱과, 플레이그라운드(Playground) 사이트는 모두 스마트폰과 PC에서 사용이 가능한 편리하고 유용한 앱과 사이트입니다.

 이외에도 AI 그림을 그릴 수 있는 미드저니, 달리2, 픽사아트, 나이트카페 크리에이터, 스테이블 디퓨전, 포켓 잇, 빙 이미지 크리에이터, 딥 아이, 아숙업, 뤼튼 등 좋은 앱과 사이트들이 많이 있습니다. 여기서는 캔바(Canva) 앱과, 플레이그라운드(Playground) 사이트를 스마트폰 갤럭시 안드로이드 환경으로 설명하겠습니다.

  1) 캔바 앱으로 AI 그림 그리기

  2) 캔바 앱으로 AI활용 QR 코드 만들기

  3) 플레이그라운드 사이트로 AI 그림 그리기

1) Play 스토어에서 캔바 앱 설치하기

① Play 스토어를 실행합니다.

② 앱 및 게임 검색에서 캔바를 입력하여 검색
합니다.

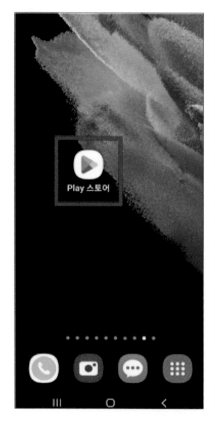

③ 캔바 앱 설치를 터치합니다.

④ 열기를 터치하시면 실행됩니다.

참고

캔바 앱을 실행하고 회원가입을 구글 계정으로

하시면 됩니다.

2) 스마트폰 캔바앱 AI 기반 실행하기

① 캔바 앱을 실행합니다.

② 좌측 상단에 위치하고 있는 목록창 버튼을 터치
합니다.

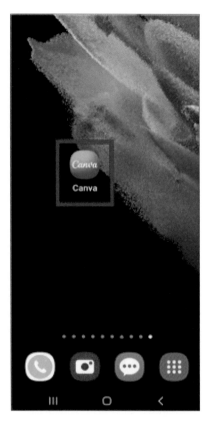
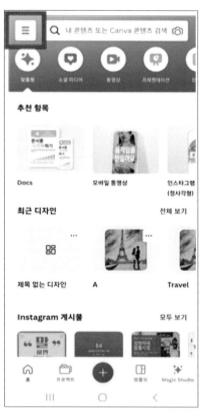

③ 앱을 터치합니다.

④ 다시 한번 화면 상단의 앱을 터치합니다.

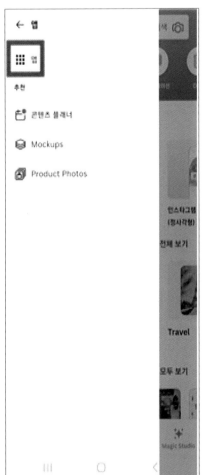

⑤ AI 기반을 터치합니다.

⑥ 화면 우측에 위치한 Turn your text into photoreal
istic AI images(텍스트를 사실적인 AI 이미지
로 바꾸기)를 선택합니다.

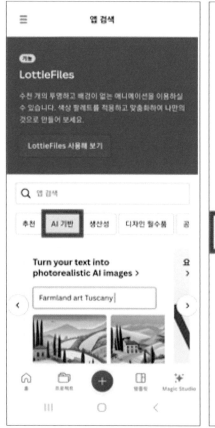

⑦ 화면 하단의 새 디자인에서 사용을 터치합니다.

⑧ 인스타그램 게시물(정사각형)을 터치합니다.

⑨ Imagen 화면이 등장합니다.

⑩ 이미지를 생성하고자 하는 텍스트를 번역하기

위해 홈 버튼을 눌러 창을 내려놓습니다.

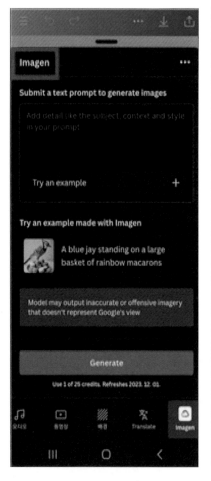
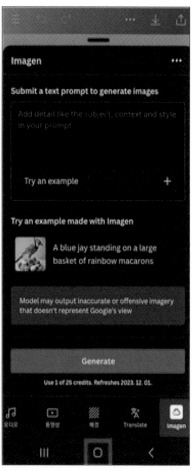

3) 번역기 앱으로 텍스트 번역하기

① 구글 번역기 앱을 실행합니다.

② 구글 번역기에 텍스트로 AI 이미지를 생성

하고자 하는 글자를 입력합니다.

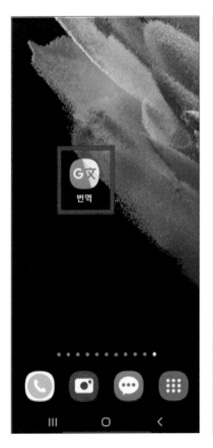

③ 영어 번역에서 복사를 터치합니다.

④ 다시 내려놓은 캔바 Imagen 창을 엽니다.

(혹시 창이 닫히셨다면 위 두 번째 안내사항에

참고하셔서 스마트폰 캔바앱 AI 기반 실행하기를

다시 하시면 됩니다.)

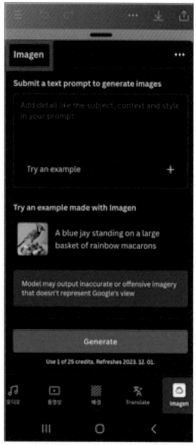

⑤ 사각형 박스(Add detail~)에 꾹 눌러 붙여넣기

합니다.

⑥ 보라색 Generate 생성을 터치합니다.

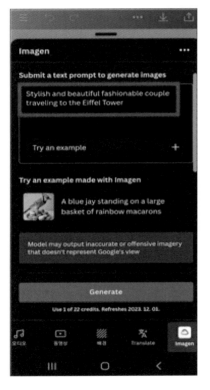
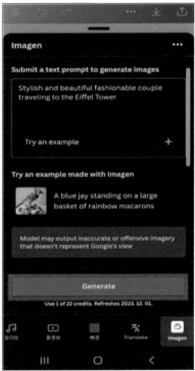

참고

Add detail like the subject, context and style in
your prompt(프롬프트에 제목, 문맥 및 스타일과 같은
세부 정보를 추가하세요.)

⑦ AI로 생성된 이미지를 꾹 누릅니다.

⑧ 이미지를 배경으로 설정을 터치합니다.

⑨ 상단의 다운로드를 터치하시면 저장됩니다.

⑩ 저장 이미지 확인을 위해 갤러리 앱을 실행

합니다.

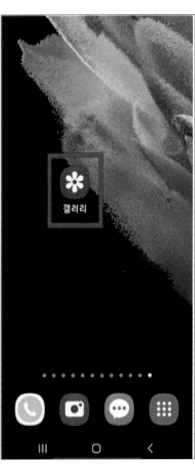

⑪ 갤러리에 저장된 이미지를 꾹 눌러 선택합니다.

⑫ 화면 아래쪽의 공유 버튼을 터치합니다.

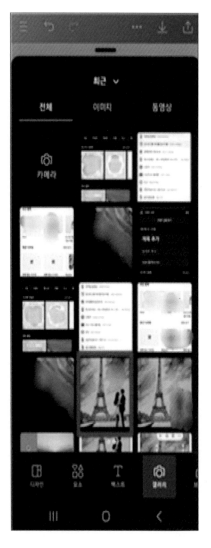

⑬ 공유하고 싶은 친구에게 전송하시면 됩니다.

(예시로 나와의 채팅으로 공유했습니다.)

⑭ 카톡방에 공유 완료되었습니다.

① 캔바 앱을 실행합니다.

② 좌측 상단의 삼선을 터치합니다.

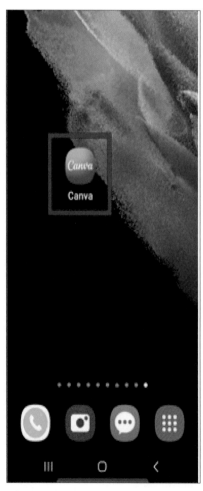

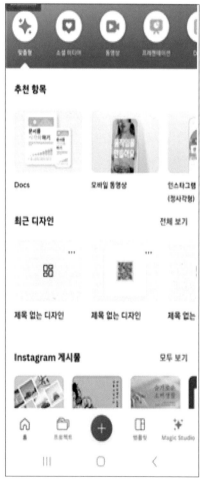

③ 앱을 터치합니다.

④ 다시 한번 화면 상단의 앱을 터치합니다.

⑤ 인기 앱에서 화면 우측 방향으로 이동합니다.

⑥ 인기 앱에서 "The Next Generation of QR Codes Are Here"(차세대 QR 코드가 등장했습니다.)를 터치합니다.

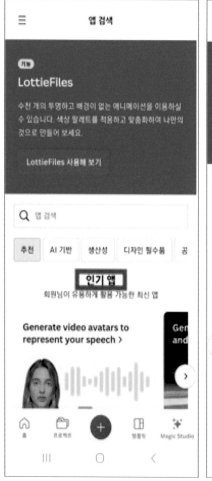

⑦ 새 디자인에서 사용을 터치합니다.

⑧ 인스타그램 게시물(정사각형)을 터치합니다.

⑨ 구글 번역기 앱을 실행합니다.

⑩ 인스타그램 URL을 꾹 눌러서 붙여넣기를
합니다.

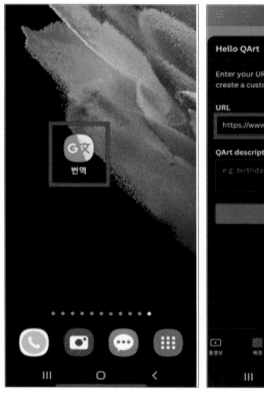

참고

URL 주소는 인스타그램, 블로그, 유튜브, 페이스북,
홈페이지, 밴드, 카페 등 본인이 원하는 URL 주소를
복사하여 붙여넣기 하시면 됩니다.

⑪ 한 번 더 구글번역기 앱을 실행합니다.

⑫ 생성하고자 하는 텍스트 예) "활짝 핀 보라색

무궁화꽃" 입력하여 영어의 복사를 터치합니다.

⑬ 사각형 박스(e.g.~)에 꾹 눌러 붙여넣기하여
보라색 Generate QArt를 터치합니다.

⑭ 컬러풀한 AI QArt 생성된 것을 꾹 누릅니다.

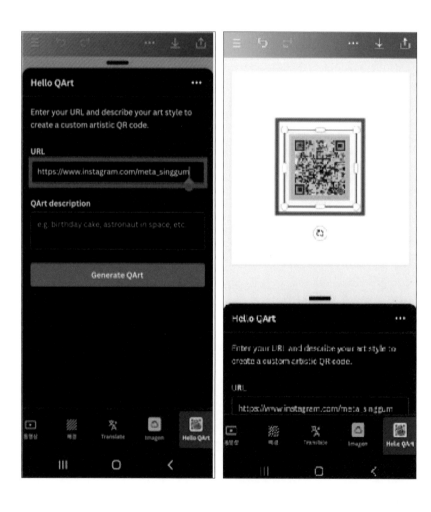

⑮ 이미지를 배경으로 설정을 터치합니다.

⑯ 상단의 공유 버튼을 터치합니다.

⑰ 보라색 다운로드를 터치합니다.

⑱ 이미지 다운로드 되어 갤러리에 저장되었습니다.

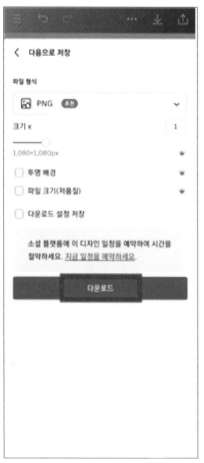

⑲ 다른 공유방법으로 상단의 다운로드를 터치합니다.

⑳ 다운로드가 완료되면 나와의 채팅을 터치합니다. 여기서는 나와의 채팅을 선택했으나 공유하시고 싶은 분에게 보내시면 됩니다.

㉑ "디자인 다운로드가 완료되었습니다."가 보입니다.

㉒ 나와의 채팅방에 공유되었습니다.

3. 플레이그라운드로 AI 그림 그리기

1) 플레이그라운드 AI 사이트 실행하기

① 구글(Google) 앱을 실행합니다.

② 구글 계정으로 회원 가입합니다.

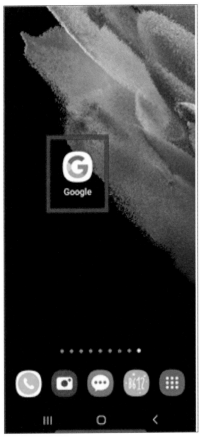

③ 구글 검색창에 "플레이그라운드 AI" 입력하여

검색합니다.

④ 맨 위에 나오는 Playgroundai.com 플레이그라

운드 AI 사이트를 눌러 접속합니다.

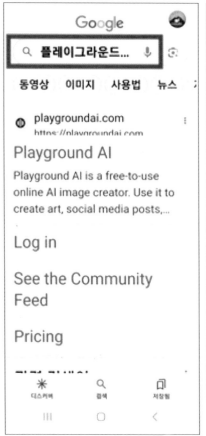 

⑤ 상단의 Create(생성) 터치합니다.

⑥ Prompt 입력창이 보이면 스마트폰 맨 아래쪽에

위치한 홈 버튼을 눌러 창을 내려놓습니다.

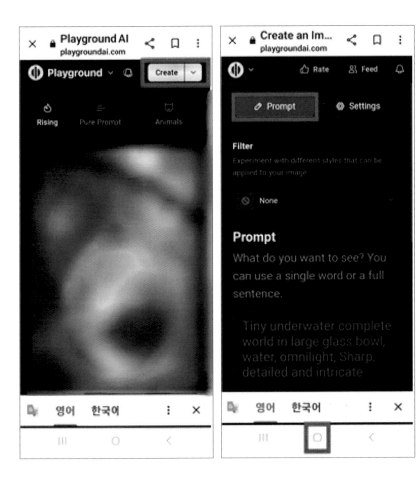

2) 구글 번역하기

① 구글 번역기 앱을 실행합니다.

② 이미지를 생성하고자 하는 텍스트를 입력합니다.

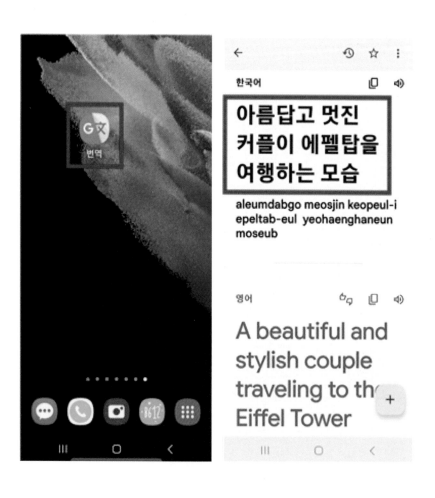

③ 영문 번역 복사를 위해 복사 버튼을 눌러주세요.

④ Prompt 창에 꾹 눌러 붙여넣기를 합니다.

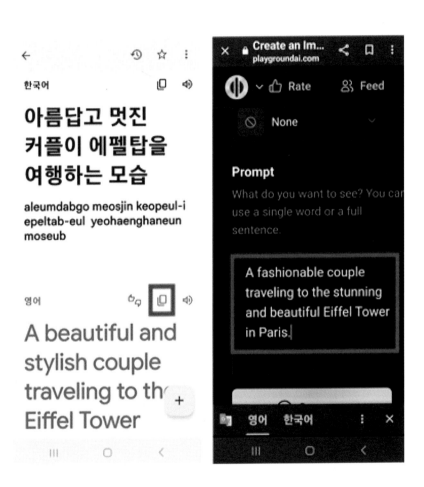

⑤ Generate를 눌러 이미지를 생성합니다.

⑥ 마음에 드는 이미지 한 개를 눌러서 선택합니다.

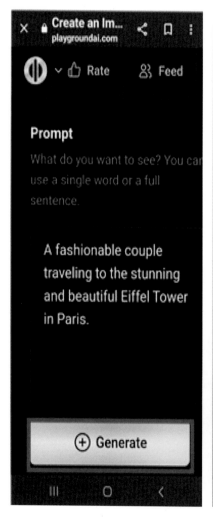

⑦ Download를 버튼을 터치합니다.

⑧ 이미지가 다운로드 되었습니다.

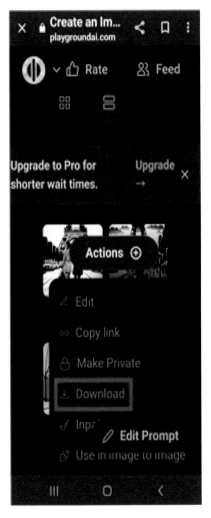

3) Filter(필터) 적용하기

① Filter 창의 None를 터치합니다.

② 여러 가지 필터 중에서 마음에 드시는 필터를

누르시면 됩니다.

(예시로 Macro Realism 필터를 선택했습니다.)

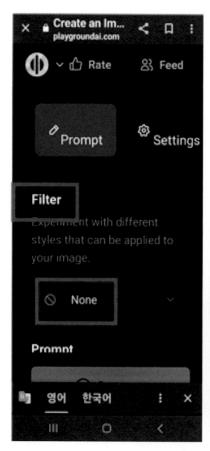
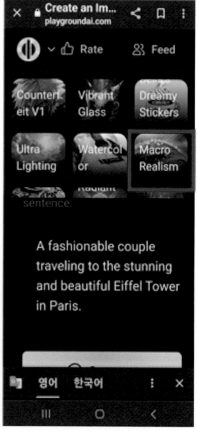

③ 화면 하단의 영어/한국어 창을 닫고 Generate를 터치합니다.

④ 생성된 이미지 중에 마음에 드는 이미지 하나를 꾹 눌러 선택합니다.

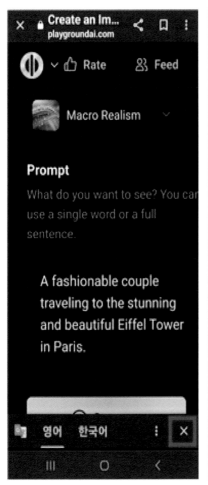

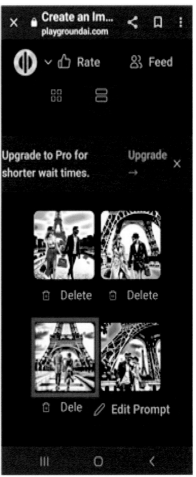

⑤ 다운로드를 터치합니다.

⑥ 이미지가 다운로드 되었습니다.

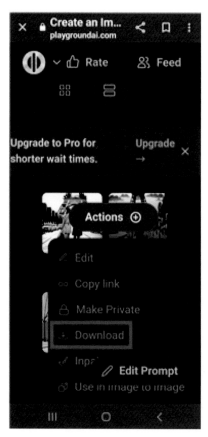 

참고

여러 가지 Filter들이 있습니다. 한 가지씩 모두 적용해 보시기를 권장합니다.

⑦ 상단의 공유를 터치합니다.

⑧ 공유하시고 싶은 분에게 보내시면 됩니다.

여기서는 카카오톡으로 공유합니다.

⑨ 공유 대상 선택에서 본인을 선택하시고 상단의
확인을 터치합니다.

⑩ 나와의 채팅방에 공유되었습니다.

4) Setting(세팅) 적용하기

① 프롬프트 옆에 위치한 Setting을 터치합니다.

② Model의 Stable Diffusion XL 더보기 부분을
터치합니다.

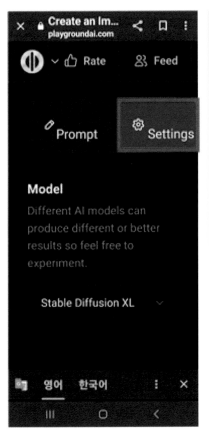

③ Stable Diffusion XL 선택합니다.

④ Image Dimensions 1024×1024로 하겠습니다.

⑤ Prompt Guidance는 7~10을 추천합니다.

Quality & Details는 50을 추천합니다. 50 이상

설정을 원하실 경우에는 유료 결제를 하셔야

사용이 가능해집니다.

⑥ Number of Images 이미지 개수는 4개를 추천

합니다. Private Session을 활성화시키면 비공개

이미지를 생성합니다.

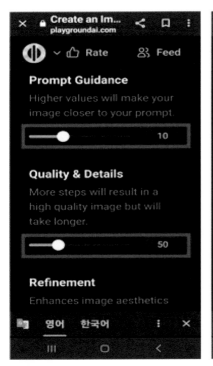
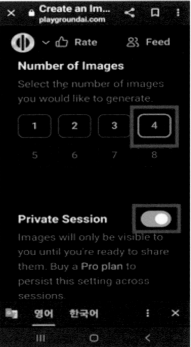

⑦ Setting(세팅)을 하고 다시 Prompt를 터치

합니다.

⑧ 구글 번역기를 실행합니다.

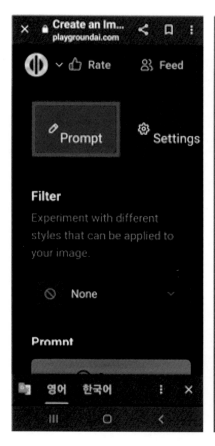
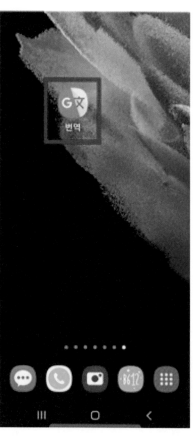

⑨ 생성하고자 하는 이미지의 텍스트를 입력하고

영어의 복사를 터치합니다.

⑩ Prompt 창에 꾹 눌러 붙여넣기 합니다.

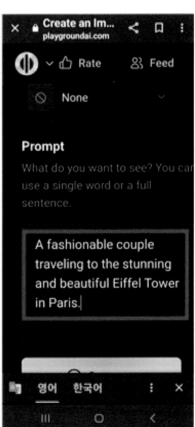

⑪ Generate를 눌러서 이미지를 생성합니다.

⑫ 이미지가 생성되고 있습니다. 무료 버전은 30초
~ 60초 정도를 기다리시면 생성됩니다.

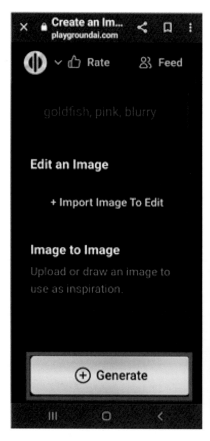
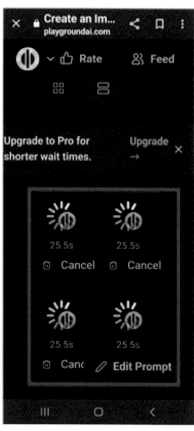

⑬ 생성된 이미지가 마음에 들지 않는 것은
Delete 버튼을 눌러 삭제합니다. 마음에 드는
이미지 하나를 선택합니다.

⑭ 이미지 다운로드를 터치합니다.

⑮ 다운로드 1개 완료 창에서 열기를 터치합니다.

⑯ 이미지 상단의 공유를 터치합니다.

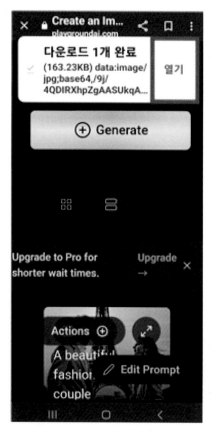

⑰ 카카오톡을 선택합니다.

⑱ 공유 대상 선택에서 본인을 선택하시고 상단의

확인을 터치합니다.

⑲ 나와의 채팅에 공유되었습니다.

⑳ 이미지 터치하여 다운로드하시면 갤러리에 저장
되니다.

신중년을 위한
세상에서 가장 쉬운

AI
가이드

4장

AI 활용
글쓰기

글쓰기의 큰 틀은 내 글이 전하고자 하는 메시지가 정해지고, 그 정해진 메시지를 바탕으로 주제를 설정 및 누구에게 전달할 것인가 하는 대상 선정도 필요합니다. 그리고 세부적으로 설정된 카테고리에 자료를 수집하여 분석하고 정리하는 것. 즉, 많은 구슬을 먼저 모으고 꿰어야 보배가 되듯 정리하여야 합니다.

집필할 글에 대한 계획이 설정되면, 처음부터 완벽하게 써 내려가지 않아도 됩니다. 차후에 초고를 전체적으로 살피면서 다듬고 정리하는 과정이 존재하기 때문입니다.

글쓰기 과정을 출판까지 살펴보면, 다음과 같이 크게 다섯 단계로 나누어 집니다.

기획 - 글쓰기 - 교정 – 표지 디자인 - 출판

1. 출판까지의 5단계 살펴보기

1) 기획

기획은 어떤 메시지를 전달하느냐 즉 무슨 책을 쓸 것인가에 대한 장르와 구성 등을 말합니다. 이 과정에서의 중요한 고려 사항으로는 다음과 같이 네 가지가 있습니다.

(1) 어떤 분류에 어떤 장르의 책을 쓸 것인가입니다. 문학인지, 소설인지, 에세이인지, 여행 경험담인지 등 각 출판사의 홈페이지 분류 카테고리에 자세히 나와 있는 것을 참조하면 도움이 됩니다.

(2) 독자층, 대상자에 따라서 책을 써 나아가는 방향성이 달라지므로, 독자층, 대상자를 결정해야 합니다. 이에 따라 홍보나 마케팅 전략도 마찬가지로 달라질 수 있습니다.

(3) 목차, 구성 및 분위기는 어떠한 형식으로 스토리를 전개할 것인가입니다. 기승전결의 물 흐르듯 쓸 것인가, 전반에 임팩트를 주고 풀어서 써 갈 것인가, 책의 구성을 글자 위주로 할 것인가, 그림 위주로 할 것인가를 의미합니다.

(4) 기타 사항으로는 장르, 대상자에 따라서 용지 사이즈, 여백, 줄 간격, 폰트, 글자 크기 등도 고려해야 합니다. 이는 가독성에 영향을 주는 매우 중요한 요소들이기 때문입니다. 예를 들어서 노년층을 대상으로한 책을 출판하는데 있어서 작은 용지와 작은 글자 크기를 사용한다면, 읽는 것 자체에 큰 어려움이 따를 수 있기 때문입니다. 그러므로, 장르와 대상자 특성에 따른 세부적인 요소들을 정함에 있어서 신중함과 고민에 부족함이 결코 없어야 합니다.

2) 글쓰기

글쓰기는 기획에 맞추어 원고의 초고를 집필합니다. 여기에 사용되는 프로그램으로 아래한글, 워드, 구글 독스 등 문서파일 프로그램이 있습니다. 즉, 문서를 작성할 수 있는 프로그램이라면 무엇이든 초고를 작성하는 것에 있어서의 문제는 없습니다. 글쓰기는 몰아서 쓰기보다는 꾸준하게 일상 속에서 책에 담을 글과 아이디어를 생각하고, 떠오르는 즉시 메모하고 기록하는 습관을 가져야 합니다. 사람의 기억력에 한계가 있기에 스마트폰 메모장에 기록해 두고 꺼내 쓰는 것이 좋은 방법입니다.

3) 초고의 교정

이번 단계에서는 초고에 오자와 탈자가 없는지, 가독성은 좋은지 등을 꼼꼼하게 살펴보아야 합니다. 이는 가독성에 직결되는 것이기에 독자의 만족에 영향을 주므로 교정, 교열 등의 검토는 반드시 필요하며, 부족함이 없어야 합니다.

4) 책 표지와 내지 디자인

책 표지와 내지 디자인을 위한 편집도 매우 중요

합니다. 독자들이 책을 선택하는 것에 있어서 책 디자인, 제목, 표지 그림 등은 매우 중요한 역할을 합니다. 그러므로, 이왕이면 다홍치마라는 말이 존재하듯이 잘 꾸며진 디자인의 책을 만들어낼 필요가 존재합니다. 훌륭하게 디자인이 된 책은 홍보마케팅 및 판매에도 큰 일조를 하게 됩니다.

5) 출판 단계

마지막으로 출판 단계에서는 출판사의 선택과 홍보 및 마케팅에서 어느 출판사가 유리하고 장르에 적절한지 등을 비교하고 검토하며 결정을 해야만 합니다.

2. Chat GPT를 활용하여 글쓰기

Chat GPT의 특징은 상당히 빠른 속도와 가장 긴 글을 출력합니다. 텍스트를 출력하는 것에 있어서 만큼은 매우 강력한 플랫폼입니다.

① 검색창에 OpenAI를 입력합니다.

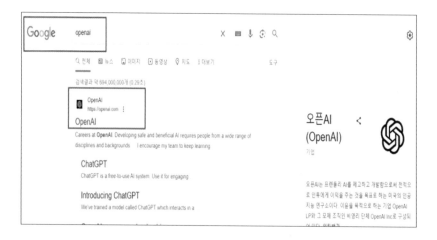

② 우측 상단에 위치하고 있는 로그인 버튼을 눌러서
GPT를 활성화합니다.

③ 왼쪽 상단에서는 새로운 대화창을 시작할 수 있고,
   하단 중앙에 위치하고 있는 대화창에는 원하는
   질문을 입력하고 결과를 얻어낼 수 있습니다.

④ 아래와 같이 자문을 구할 수도 있으며, 이외에 시,
   글쓰기 등 창작과 관련된 도움을 얻을 수 있습니다.
   더 나아가서 코딩과 수학적 계산과 같은 보다
   복잡한 질문에 대한 처리도 가능합니다.

3. Bard로 글쓰기

구글 Bard(바드)의 특징은 가장 빠른 속도를 보여
줍니다.

① 검색창에 Bard를 입력 후, 사이트에 접속합니다.

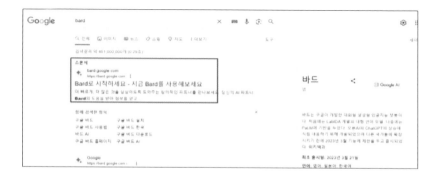

② 기본적인 화면은 Chat GPT와 유사합니다. 왼쪽
에는 대화방 목록창이 있으며, 중앙 하단부에는
대화창이 위치하고 있습니다.

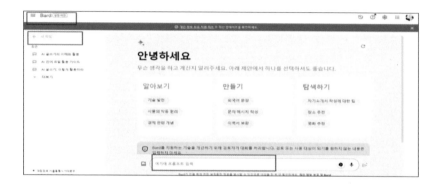

③ 입력창에 원하는 질문을 입력 후, 전송 버튼을

누르시면 질문이 전송 완료됩니다.

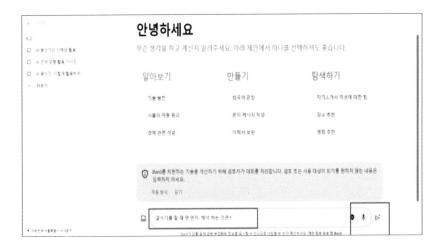

④ 아래와 같이 질문에 대한 답변을 받을 수 있습니다.

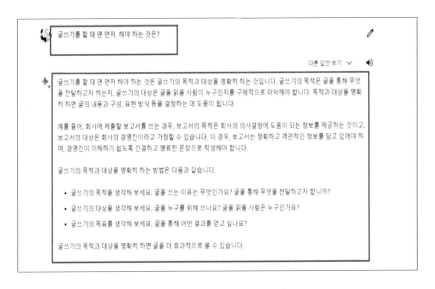

4. :wrtn(뤼튼)으로 글쓰기

뤼튼 한글에 최적화되어 있으며, 국내 스타트업 기업에서 만들었습니다.

① 검색창에 뤼튼을 입력합니다.

② Chat GPT, 바드와 역시나 유사항 형태입니다.

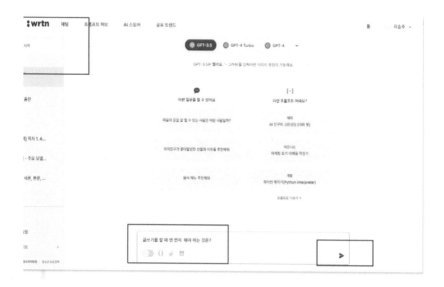

③ 질문에 대한 답을 아래와 같이 얻을 수 있으며,
출처와 추가적인 질문을 추천해준다는 장점이
있습니다.

5. 네이버 Cue(큐)로 글쓰기

대기명단 신청을 하고, 하루 정도 지나면 승인이 됩니다. 가장 큰 장점으로는 결과 값의 출처를 Bing(빙)처럼 알려 준다는 것입니다. 연결이 가능한 링크까지 제공합니다.

① 검색창에 큐를 입력합니다.

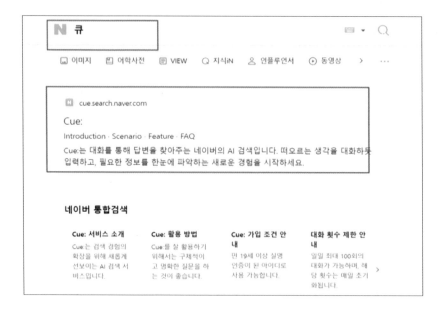

② 명칭을 확인 후, 대기 명단 등록하기 버튼을 누릅니다.

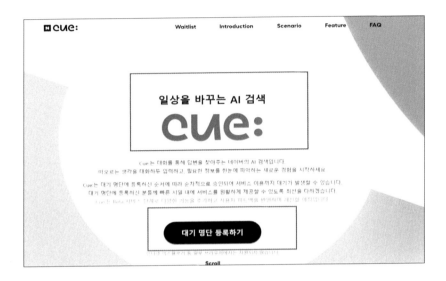

③ 네이버 계정으로 로그인합니다.

④ 대기 명단 등록 후에 약간의 시간이 흐른 뒤에
'대화하기' 버튼이 활성화되며, 사용이 가능해
집니다.

⑤ 앞서 살펴본 대화형 AI 플랫폼들과 유사한 형태
입니다.

⑥ 마찬가지로 질문에 대한 답을 얻을 수 있습니다.

6. 마이크로소프트사의 Bing(빙)으로 글쓰기

빙은 큐와 뤼튼처럼 결과값에 출처를 표기하고 연결 링크도 제공합니다. 큐와 뤼튼보다 먼저 출처를 표기하고 연결 링크를 제공한 최초의 대화형 AI 플랫폼입니다.

① 빙에 접속하시면 역시나 앞선 대화형 플랫폼들과 유사한 형태임을 확인하실 수 있습니다.

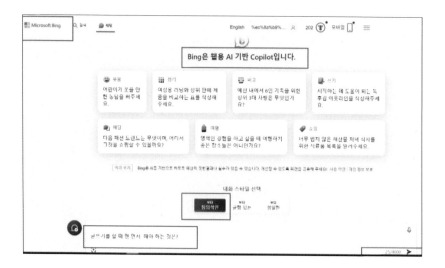

② 아래와 같이 질문에 대한 답변해 주는 것과 동시에
출처와 추가적인 질문을 추천해 줍니다.

AI를 활용한 글쓰기에서는 Chat GPT를 반드시 사용
하고 1~2가지를 추가로 사용하여 교차 검증이 필요
합니다. 왜냐하면, 종종 그럴듯하게 거짓말을 하는
특징이 있기 때문입니다. 따라서 위험 부담을 줄이기
위하여 교차검증을 통한 팩트 체크는 반드시 필요한

과정입니다. 즉, 정보에 대한 신뢰성과 정확성을 높이기 위한 매우 중요한 과정이라는 것을 반드시 기억해 주셔야 합니다.

결과적으로 장단점을 명확하게 파악하고 AI를 활용한다면, 글을 쓰는 것에 있어서 여러 아이디어와 도움을 얻을 수 있기에 매우 편리합니다.

7. 출판하기

AI를 활용하여 글을 쓰는데 도움을 받고 아이디어도 얻을 수 있어서 글쓰기가 예전 보다 수월해진 것이 사실이며, AI 활용하여 쓰인 글을 모아서 정리하고 출판하는 과정도 간략하게 알아보겠습니다.

1) 출판 방법으로는 전자책 출판과 종이책 출판이 있습니다. 전자책 출판은 플랫폼을 활용하여 직접

자가출판하는 것입니다. 종이책 출판은 전자책과 마찬가지로 플랫폼을 활용하여 출판하는 방법과 출판사에 의뢰하여 출판하는 두 가지 방법이 있습니다. 비용적인 측면의 부담을 크게 줄이기 위하여 플랫폼을 활용한 자가출판하는 것을 추천합니다.

2) 출판 순서를 살펴보면, 글쓰기 - 교정 - 표지. 내지 디자인 - 편집 - 전자책 출판. 종이책 출판의 순서입니다. 순서가 엉키면 차후 정리하는데 많은 시간이 필요하기에 위 순서를 지켜 주시기 바랍니다.

3) 책 본문 쓰기는 틈틈이 카테고리별로 채워야 할 부분을 위해서 발췌독을 한다든지, 메모해둔 정보들을 다시 꺼내보는 활동을 해야 합니다. 즉, 늘 염두에 두고 부족한 부분을 채워 나가는 것이 중요합니다.

4) 교정은 쉽게 말하면, 책을 출판하기 위하여 검토하는 것을 의미합니다. 다시 말해서 오타를 찾아내거나 초고의 내용 중에서 잘못된 곳을 찾아서 수정, 보완하는 것입니다. 오탈자의 경우, 네이버 검색창에 맞춤법 검사기나 네이버 블로그의 맞춤법 검사 기능을 활용하면 매우 편리하고 좋습니다. 참고로 Chat GPT를 활용하는 것도 하나의 방법입니다.

5) 표지, 내지에 대하여 살펴보면, 사람은 처음 누군가를 만났을 때 5초 정도만의 느낌으로 상대방을 판단한다고 합니다. 책도 마찬가지입니다. 아무리 잘 쓰여진 책이라 할지라도 독자들이 알아주지 않으면 무의미합니다. 그러므로, 독자들이 책의 표지를 보고 궁금해서 내지와 목차 등을 훑어볼 수 있도록 표지와 내지를 만드는 것에 있어서도 부족함이 없어야 합니다.

6) 전자책 출판은 종이책고 달리, 공간과 시간적 제한이 없다는 장점이 있으며, 유페이퍼, 크몽, 탈잉 등의 플랫폼을 활용하여 출판할 수 있습니다. 각 사이트에서 심사를 받고 통과하여 판매까지 진행 하시는데 있어서 크게 어려움을 없습니다. 다만, 무엇이든 그러하듯이 처음에는 쉽지 않을 수 있습 니다. 결과적으로 전자책 출판은 '유페이퍼' 플랫폼을 통한 출판을 추천합니다.

종이책 출판에 대하여는 독립출판, 부크크, 교보 문고 등이 대표적인 종이책 출판 방법입니다. 종이 책 출판으로는 '부크크' 플랫폼을 추천합니다. 네이 버 검색창에 부크크를 검색합니다. 부크크는 자가 출판 플랫폼으로 종이책을 자가 출판하기 위해 많 은 작가님들이 찾고 있는 플랫폼입니다. 부크크의 가 장 큰 장점은 주문에 따라서 책으로 제작하는 맞춤형 소량 출판 시스템인 POD 서비스(Printed On Demand: 고객 요청에 의한 주문형 인쇄)를 제공하는 것입니다.

 책을 출판한다는 것은 예전에는 상상도 못한 일이었으나 최근에는 콘텐츠만 있으면 누구나 손쉽게 도전 가능합니다. 더욱이 인공지능 AI가 있어 많은 도움과 아이디어를 받을 수 있기에 일반 초보작가 분들의 접근이 수월하다는 것입니다. 그러므로, 주저하지 마시고 경험과 노하우, 좋은 아이디어와 좋은 콘텐츠를 책으로 출간하시길 진심으로 응원합니다.

신중년을 위한
세상에서 가장 쉬운

5장

AI 활용
콘텐츠 만들기

현대 사회는 의료 기술이 발달하면서 기대 수명이 100세에 이르게 되었습니다. 이에 따라 경제, 사회 활동의 연령대도 점차 상승하고 있습니다. 여기에 과학 기술은 하루가 다르게 급성장을 하고 있기에 변화에 대한 빠른 적응과 배움이 필요로한 시대가 되어가고 있습니다. 특히 현대사회는 개인 브랜드, 크리에이터의 시대이기도 합니다. 저마다 SNS와 유튜브 계정은 하나씩 있는 시대라고 보아도 절대 이상하지 않다고 할 수 있습니다.

SNS와 유튜브 등과 같은 소셜미디어의 최근 트렌드는 숏폼입니다. 숏폼이란, 말 그래도 짧은 영상 콘텐츠를 말합니다. 이를 위해 필수적으로 필요한 요소가 바로, 영상편집입니다. 영상편집이라는 것이 말로만 들었을 때에는 어려울 수 있지만, 처음에는 무엇이든 쉬운 것이 없습니다. 배우고, 습득하고, 반복적인 연습을 한다면 누구나 실력을 향상시킬 수 있습니다.

신중년이 영상편집을 공부해서 익혀야하는 이유에 대해서 보다 자세하게 다섯 가지 이유로 설명을 드리겠습니다.

1) 소셜 미디어 활용 : 영상은 현대의 소셜 미디어에서 매우 중요한 역할을 합니다. 영상 플랫폼인 YouTube, 인스타그램, 페이스북 등에서 자신의 이야기를 공유하거나 비즈니스를 홍보하는 등 다양한 목적에 활용할 수 있습니다.

2) 소통과 상호작용 : 영상은 강력한 소통 도구입니다. 중장년층이 영상 편집을 배우면 가족, 친구, 커뮤니티와 소통하고 상호작용하는 데에 큰 도움이 됩니다. 사진 하나를 주는 것보다 영상을 보면 감동이나 영향을 더 크게 받을 수 있습니다.

3) 창의적 표현 : 영상 편집은 창의적인 표현을 할 수 있는 플랫폼입니다. 중장년층이 자신의 이야기를 시각적으로 표현하고 공유하는 과정을 통해 새로운 취미나 역량을 발전시킬 수 있습니다.

4) 기술적 발전과 미래 직업 기회 : 디지털 기술의 발전으로 인해 영상 편집 기술은 점점 더 중요해지고 있습니다. 중장년층이 이러한 기술을 습득하면 미래의 직업 기회를 확장할 수 있습니다.

5) 자기계발과 새로운 도전: 영상 편집은 새로운 기술을 배우고 습득하는 도전적인 과정입니다. 중장년층이 영상 편집을 배움으로써 자기계발을 이루고 새로운 도전에 도전할 수 있습니다.

 이러한 이유들로 중장년층이 영상 편집을 배우는 것은 매우 유익할 수 있습니다.

1. 많은 영상 툴 중에 Vrew를 추천

 동영상을 만들기 위해 어도비, 파워 디렉터, 다빈치 리졸브, 필모라, 곰믹스, 캡컷 등 많은 프로그램들을 사용하고 있습니다만, Vrew는 저렴한 가격으로 자막이 바로 자동으로 생성된다는 점에서 독보적이라고 할 수 있습니다. 잘 사용하고 계신 프로그램이 있다면, Vrew에서 필요한 요소만 취하셔도 도움이 될 수 있으니 참고하시기 바랍니다.

1) 음성분석을 통해 자동 자막과 컷편집을 쉽게 할 수 있습니다. 영상에서 가장 어려운 것이 컷편집입니다. Vrew는 자동으로 자막이 바로 생성되고, 문장마다 자동으로 클립(문단)을 만들어 줍니다. 그러므로, 자막수정과 컷편집이 쉽습니다. 삭제도 가위 모양의 컷을 해주면 됩니다.

2) 외국어 자동 자막이 바로 생성됩니다. 보통 외국어 자막을 넣으려면 번역프로그램을 써서 번역을 하고 복사해서 붙여넣기를 하기도 합니다. 그러나 Vrew 에서는 여러 나라의 언어를 바로 자막으로 쓸 수 있도록 되어 있어서 바로 생성이 가능합니다.

3) 독보적으로 한국어를 인식합니다. 한국 회사에서 만들어졌기에 한국어에 최적화되어 있습니다. 덕분에 사용이 매우 편리합니다.

4) 기존의 편집방식보다 편합니다. 폰트, 사진, 비디오, 배경 음악 등 무료 애셋(자료, 재료) 제공하고 있어서, 저작권에 상관없이 자유롭게 다양한 자료들을 사용할 수 있는 편리함이 있습니다.

5) 활용 범위는 목소리가 있는 영상에 최적화된 편집기입니다. AI 내레이션을 활용하여 영상에 다양한 캐릭터 음성을 편리하게 적용함으로써, 얼굴을 밝히지 않고도 콘텐츠에 맞는 캐릭터와 AI 목소리를 다양한 나이와 언어로 사용할 수 있습니다.

6) 폰에서 찍은 영상을 컴퓨터로 옮기기 쉽습니다. QR코드가 생성되고 바로 PC에서 인식할 수 있어서 USB나 연결코드가 없어도 영상을 가져올 수 있습니다.

2. Vrew 설치, 사용 방법

1) 설치하기: PC에서 설치합니다. 구글에서 '브루'나 'vrew'라고 치면, 아래와 같이 사이트를 찾아서 접속하고 다운로드를 합니다.

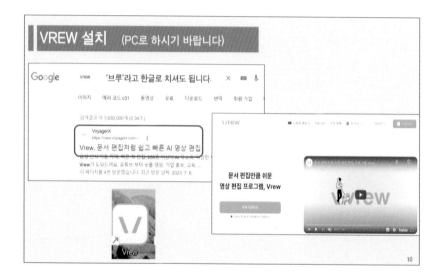

2) 무료로 사용하셔서 써 보시고, 필요하시면 업그

레이드하신 후에 유료로 사용하시면 됩니다.

무료로 사용해도 음성분석 120분, AI목소리 1만

자, 번역 3만 자, AI 이미지 100장까지 사용 가능

합니다. 또한 저작권 걱정 없는 무료 애셋들을

사용할 수 있습니다.

3) 새로 만들기를 누르고 새로 시작합니다. 영상 및 음성 파일로 시작하기를 열어 영상을 가져올 수 있고, 텍스트로 비디오 만들기를 눌러 텍스트로 영상을 만들 수 있습니다. 영상이나 음성, 텍스트 등 갖고 있는 소스를 가져와 알맞은 비율을 선택합니다.

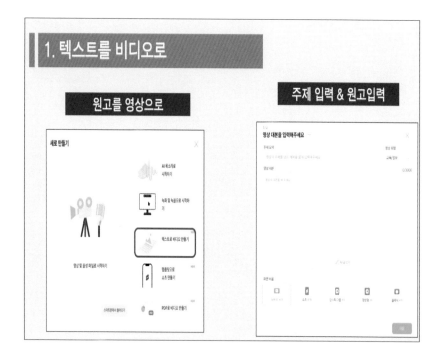

4) 텍스트로 비디오 만들기를 눌러 텍스트로 영상 만들기를 해 보겠습니다. 어떤 폼으로 만들지 비율을 정해서 클릭하고, 어떤 비디오 스타일로 시작할지 지정해서 할 수도 있고, 스타일 지정 없이 시작하기로 할 수도 있습니다. 처음에는 원하는 스타일을 정해서 해 보시는 걸 추천드립니다.

5) 다음을 누르면, 영상 만들 주제를 적고 AI 글쓰기를 누르면, 1-2분 내에 대본이 자동적으로 생성됩니다. 또 오른쪽에 영상 요소 세 가지가 있습니다.

(1) AI 목소리를 파란색으로 설정하면 활성화되어 AI 목소리가 나오게 됩니다. 파란색 밑에 변경을 눌러 다른 목소리로 설정 가능합니다.

(2) 이미지&비디오도 파란색으로 설정되어 사진이나 비디오가 자동적으로 설정되게 됩니다. 이것도 나온 영상을 보면서 변경 가능합니다.

(3) 배경음악도 파란색으로 설정되어 배경음악이 자동으로 설정되고 영상에 맞는 음악으로 변경도 가능합니다. 세 가지 중 원하지 않는 경우엔, 파란색 설정을 왼쪽으로 옮겨 설정하지 않으면 됩니다.

짧은 영상은 1-2분이면 하나의 영상을 만들어냅니다.

6) 텍스트를 영상으로

147

왼쪽에 영상 밑에 1번 재생을 누르면 만들어진 영상을 바로 확인할 수 있습니다. AI 목소리가 내레이션을 해주고, 자막이 나오고, 배경음악이 나오므로 주제만 적어도 간편한 영상이 쉽게 만들어지는 것을 볼 수 있습니다.

2번은 영상수정과 자막수정이 파란박스로 나오는데, 이것을 '클립'이라고 부릅니다. 클립 안에서 영상수정에서 다음 클립으로 넘어갈 말 앞에 마우스를 두고 [enter]를 입력하면 다음 클립으로 넘어가는데, 이것은 영상에서 다음 클립으로 넘어가게 되는 것입니다(cut). 이 클립과 다음 클립을 합치는 것도 가능한데, 원하는 두 클립을 마우스로 영역 설정하면, [클립합치기]가 나옵니다. 이것을 누르면, 하나의 클립으로 만들어집니다.

클립 안에서 불필요한 말은 영상 편집에서 단어를 마우스로 클릭하면 박스 안에 가위 모양이 나오는데,

가위를 누르면 잘라버리는 것을 말합니다. 3번은 사진이나 비디오, 배경음악이 있다는 것을 나타내며, 이것을 변경하기 원하면 3번의 박스 안에 있는 부분을 클릭하여 변경하면 됩니다.

7) 인공지능 이미지 자동삽입

① 삽입- 원하는 클립에 오른쪽 마우스를 누르면 인공지능 이미지 자동삽입이 나옵니다. 누르면 전체 클립을 설정할지, 현재 클립을 설정할지 선택하시면 됩니다.

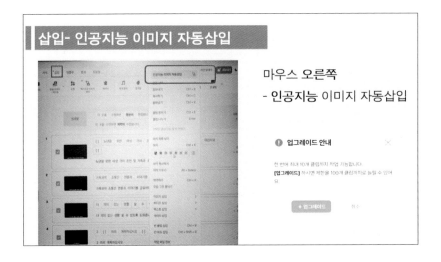

② 클립을 설정하고 삽입 - 무료 이미지, 비디오 -
오른쪽에 무료 애셋 중에서 찾으면 됩니다.

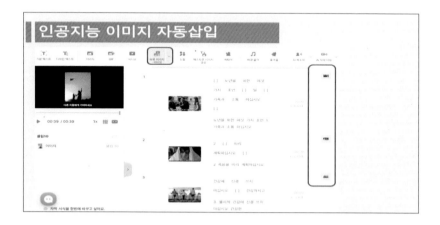

③ 삽입 - 배경음악 – 적용범위 설정 – 분위기를
선택하면 됩니다.

④ 클립과 클립 사이에 추가할 클립이 있으면 중간에
   마우스를 대면 [클립추가]가 나타납니다. 누르고
   빈 클립을 눌러 클립을 만들 수 있습니다. 섬네일을
   원하면 처음 클립 위에 클립 추가를 누르고, AI
   목소리 클립을 눌러 새로 자막과 영상을 넣으면
   됩니다.

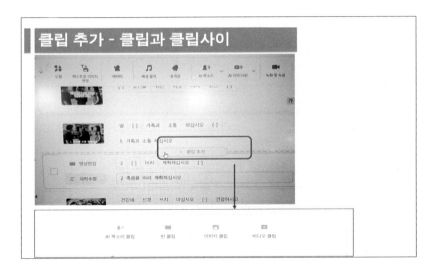

⑤ 저장하기: 파일 – 화면비율 확인하기 - 프로젝트

　저장하기 – 동영상 내보내기 (수정 가능한 파일)

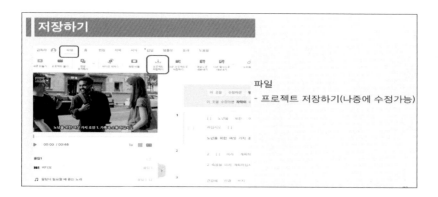

⑥ 유튜브로 저장: 파일 – 영상 파일 – 프로젝트

　저장하기(수정 가능한 저장) + 동영상 내보내기

　(mp4)로 하면 영상 파일이 저장됩니다.

3. Vrew의 다양한 기능 활용하기

1) 유튜브의 숏츠 만들기: 맨 위에 파일- 화면비율 - 숏츠(9:16 비율)- 오른쪽에서 크기 및 위치 조정 (맞춤이나 채움, 배경색 설정)

2) AI 목소리 : 맨 위에 삽입- AI 목소리 - 전체 클립에 더빙하기- 목소리 설정(언어, 성, 나이 설정)- 기존 클립 위에 삽입 또는 원본 영상을 음소거할까요? [예] -(목소리 수정을 원하는 클립을 클릭해서 목소리 수정, 볼륨조절 가능)

3) 오디오 조절 : 효과음이나 배경음악은 맨 위에 삽입- 배경음악/효과음- 오른쪽에 브루에서 제공하는 오디오나 배경음악 선택 - 맨 위에 효과 - 볼륨조절로 무음(음소거)도 가능

4) 자막: 왼쪽 영상에서 자막 수정도 가능하고, 맨 위에 삽입- 기본텍스트- 디자인 텍스트를 눌러 스타일, 색, 변경 또는 맨 위의 서식- 원하는 클립만 수정 가능, 맨 위의 서식에서 전체 배경과 색 조절 가능

5) GIF나 비디오 - 맨 위의 삽입 - 오른쪽에서 이미지나 비디오 선택- 적용 범위 선택 또는 변경 가능, 크기 조정 가능- 단어 선택으로 바로 생성

6) 문단과 문단 사이에 문단 추가나 맨 앞에 섬네일 추가 - 문단 클릭 바로 파란 줄 위에 [클립 추가] - AI 목소리 클립, 빈 클립, 이미지 클립, 비디오 클립 삽입 가능

7) 영상의 배속 - 맨 위의 효과 - 배속 효과 - 문단 선택해서 속도 조절 가능

8) 모자이크 처리 - 효과- 얼굴 확대 또는 흐리게 (블러) 처리 가능

9) 클립 배경 색깔 조정 가능

10) PPT로 영상 제작하기 - 새로 시작하기 - [PDF로 비디오 만들기]를 선택하면, PPT 내용에 AI 음성이 입혀진 영상을 바로 제작하실 수 있습니다.

4. Vrew의 사용법을 더 알아보는 방법

도움말 - 튜토리얼 - 사용법 배우기(영상)가 가능합니다.

자주 묻는 질문, 질문과 답변, 노하우 공유 등 여러 가지 사용이 어려울 때 이용하시면 좋습니다.

5. Vrew를 활용한 영상 제작 순서 정리

1) ChatGPT나 Vrew에서 글쓰기로 영상대본을 작성 합니다.

2) 녹음기로 음성녹음을 합니다.

3) Vrew에 음성파일을 PC로 가져옵니다.

4) Vrew에서 업그레이드 된 움짤 사진, 무료비디오, 이미지 등 기타 기능들을 적절히 활용하여 영상을 제작합니다.

5) 필요시 특수 자막 및 구독 버튼(이미지 만들기)도 삽입합니다.

6) 텐션이 떨어지는 구간에는 배속을 조절해 줍니다.

7) 배경음악을 대본의 음성에 맞게 넣어줍니다.

8) 인트로, 화면 전환, 아웃트로와 같은 장면에 효과음을 적절하게 넣어줍니다.

9) 끝으로 영상을 추출하여 유튜브에 업로드합니다.

영상을 처음 만드시는 분들은 천천히 튜토리얼의 영상을 여러 번 보시면서 사용하시면, 큰 도움이 될 수 있습니다. 처음이라고 겁먹지 마시고, 하나 하나 따라 하시면 어느새 멋진 영상물을 만들어 내실 수 있게 됩니다.

어느 정도의 수준이 갖춰지게 된다면, 주제만 설정하셔도 멋진 영상을 만들어 낼 수 있게 됩니다. 이는 또 다른 재미와 경험이 될 것입니다. 또한, PPT를 활용하여 영상을 제작하는 것도 가능합니다. 그리고 다양한 애셋들을 사용해 보시길 적극 추천드립니다. 보다 풍성하고 멋진 영상을 제작하실 수 있기 때문입니다.

이제는 바야흐로 영상의 시대입니다. 누구나 할 수 있으며, 멋진 영상으로 새로운 도전과 함께 자랑도 해보면서 삶의 활력을 불어 넣어보세요. 항상 여러분의 도전을 응원합니다!

나오는 말

 AI와 관련한 배움을 얻는 과정에서 접하였던 말 중에 가장 좋아하는 말이 있습니다. 그것은 바로, "말을 속도로 이길 수 있는가? 아니, 이길 수 없음에 인류는 잘 다루어 더 멀리 빠르게 가능 방법을 배웠다. AI도 마찬가지다. 이길 수 없음에 잘 다루어서 더 많은 것을 빠르고 원활하게 해낼 수 있는 방법을 습득해야 한다."라는 말입니다.

 그렇습니다. AI는 지금 이 순간에도 인간의 상상의 범위를 뛰어넘는 속도로 학습을 하면서 성장하고 있습니다. 그렇기에 우리는 더욱더 AI를 잘 다루어서 더 많은 것을 빠르면서도 많이 해낼 수 있는 역량을 키워내야 합니다.

 인류의 역사를 돌아보면, 늘 과학 기술의 발전은 개인이 해낼 수 있는 영역을 확장시키는 효과가 있었습니다. AI도 마찬가지로 개인이 해낼 수 있는 영역을 보다 크게 확장하면서 일상생활 속 구석구석 많은 것들에 대한 효율성을 높일 것입니다. 그렇기에 적극적으로 수용하고 배워나가야 합니다.

끝으로 전하고 싶은 말이 있습니다. 앞으로의 빠르게 변화하는 세상 속에서 독자 여러분의 도전과 배움, 그리고 본 책을 집필한 5명의 작가들의 도전과 배움도 역시 마찬가지로 이제부터 시작입니다. 그 길에 '신중년을 위한 세상에서 가장 쉬운 가이드'가 작게나마 도움이 되시기를 진심으로 소망합니다.

모든 시간 속에 행운이 깃들어 좋은 일이 가득한 삶이 되시기를 진심으로 소망합니다! 감사합니다.

2023. 11. 24

저자 일동

신중년을 위한 세상에서 가장 쉬운 AI 가이드

발 행 | 2023년 12월 1일
저 자 | 강옥자, 금희라, 문오영, 박종식, 지승주
펴낸이 | 한건희
펴낸곳 | 주식회사 부크크
출판사등록 | 2014.07.15.(제2014-16호)
주 소 | 서울특별시 금천구 가산디지털1로 119 SK트윈
　　　　타워 A동 305호
전 화 | 1670-8316
이메일 | info@bookk.co.kr

ISBN | 979-11-410-5672-8